P9-BJB-488

Ariel Van de linde, es un escritor argentino nacido en Escobar-Buenos Aires, el 1ro., de febrero de 1977; padre de dos hijos (Alejo y Matías).
Escribe poesías desde los quince años y narrativas, a partir de los treinta años (aproximadamente). Para Ariel, la poesía es el alma íntima de su vida; las narrativas sólo pertenecen a su imaginación, pero que la escritura se ha tornado, para él, en una urgencia de la necesidad, en una catarsis, dice: "Cuando no escribo me siento incompleto, debo escribir lo que está prisionero en mis entrañas y mi mente".
Su primer libro de poesías se llama "Escenas", libro que nació el 29 de junio del 2013, la cual tuviera una segunda edición prologada por el autor en el año 2014; ese mismo año editó "La Conquista", un libro de aforismo que para Ariel, es secundario. Antes, participó de una antología internacional llamada "Alma y corazón en Letras" donde se publicaron seis poesías de su autoría.
Es socio activo de Sade – Escobar (Sociedad Argentina de Escritores) y de A. L. E. P. H. (Asociación Libre de Escritores y Poetas Hispanoamericanos de la ciudad de La Plata).
Su inserción en el mundo literario se debe a las fuertes influencias provocadas por William Blake y el maestro – para él – que jamás conoció, Jorge Luis Borges.

Javier Bibiloni
Ediciones

GRITOS
El Lienzo de los Sueños

Ariel Van de Linde

Van de Linde, Ariel
Gritos : el lienzo de los sueños . - 1a ed. - La Plata : Javier Bibiloni Ediciones, 2015. 112 p. ; 21x15 cm.

ISBN 978-987-3730-15-3

1. Poesía
Argentina. I. Título
CDD A861

Fecha de catalogación: 14/07/2015

Primera edición, septiembre 2015. Javier Bibiloni, Ediciones.

Dibujo de tapa: "El Dios del lienzo"
Gabriel Rey
Cel: 011-15-3138-3476
E-mail: byga-b@hotmail.com

Idea del dibujo: Ariel Van de Linde
E-mail: hades2022@hotmail.com

Javier Bibiloni, Ediciones.
48 n°756 e/10 y diag.74 Tel: (0221) 15-419-3535
E-mail: javierbibiloni@hotmail.com

Impreso en Argentina

Queda hecho el depósito que previene de la ley 11.723

Prólogo

*No sé a qué punto puede llegar el poder de las prosas que escriben los poetas, como tampoco sé del poder de sus emociones; he visto derramar lágrimas por los barrios de "*La Ciudad Oculta del Norte*" mucho antes de haber nacido, yo, en esta era. Será que tal vez fui otra persona en aquellos tiempos, no lo sé... Lo único que sé es que no estoy ciego y veo las cosas con claridad, siendo aún un principiante en las letras.*

*Aquí habrá un largo camino de sueños, esos sueños donde "*somos*" intérpretes, empezando desde la vigilia (que algunos llaman premonición) y que es un recorrido de paisajes que han pasado y que pueden llegar a pasar. He visto a Charles Bukowski sumergirse en una botella, he leído a Jim Morrison en su Jardín Oculto e imaginé a Joseph Conrad en Argentina con* Nostromo. *Pasado, presente y un porvenir que no existe, o existirá; el amor en medio de batallas verbales sin eludir las efigies de algunas escenas.*

No sé qué será de mí, pues observé a lo largo de mis treinta y ocho años los principios de las albas y las auroras boreales que pudieran contemplar mis ojos. El universo es el Dios originario y quien golpeó a un vacío con su primer grito. No es Zeus y su trueno, no es Apolo y su carro de fuego ni el álgebra de Jorge Luis Borges, no hago eco de Blake por las visiones interpretadas en sus pinturas: ambos poetas son mis maestros que jamás conocí.

Considero que el poeta es poeta porque debe serlo y que tiene una vaga necesidad de escribir lo que sus entrañas desean escupir, lo que quiere liberar desde el interior de sus cavernas con misceláneas metáforas, ofreciendo un mensaje divino omnipresente; un verdadero escritor entenderá que la poesía en su magnitud más vasta, es el todo más allá de cualquier sostén anhelando esperanza.

Este volumen está dividido en dos partes, las poesías – y prosas – en números romanos, todo el libro conforma una sola poesía y una sola historia, que no describe la cosmogonía de los sueños pero sí, el sueño de un nuevo universo sin abolir el origen del Universo Madre; el amor, la sensibilidad humana y su grotesca naturaleza.

Esta obra (si es que la palabra "obra" *es correcta) comencé a escribirla, casi perdidamente, en el año 1995, desde la poesía* "I" *hasta la poesía* "XXIV". *Por el correr del tiempo, sus hojas han tomado el color de un papiro, legible, pero con una transcripción sucia, que he decidido terminar justamente hoy, aquí, ahora, en este plano terrenal, sin cambiar su concepto original, aunque tuve que ser autocrítico y corregir, y que continué después de muchos años a partir de la poesía* "XXV". *La misma declama un pasado de los nativos Sioux y con una palabra en su lenguaje, lo que hará que mi lector desde su percepción, traduzca el significado de* "Oblaye" *y dé la interpretación que desee a esos versos, aun el que siga hasta la página final, donde llegará (o no), enigmático al desenlace.*

El Niño que Todo lo Ve, La Mujer Escorpión, no son personajes de épicas y de décadas experimentadas por el ser que la cuenta, o sea " Yo, el que únicamente Soy", *quien plasmó los trazos abstractos e interminables de los viajes del porvenir, cambiando esa monotonía y alzando la voz universal que trasciende (inevitablemente) el letargo profundo de los pasillos de los sueños y que muchos desean llevar a la realidad para cumplir aquello alejado de su infinitud originaria, pero sabiendo siempre que el único deseo de la misma vida es... Existir.*

A. V. d. L.
Escobar – Buenos Aires 2015.

Preludio

En ésta, su obra que es también un eco infatigable, Ariel Van de Linde nos habla, con inmortal fervor, de los sueños, del universo, de la perplejidad del ahora, y tan simple como inapelable refiere que "la poesía, en su magnitud más vasta, es el todo más allá de cualquier sostén anhelando esperanza". En otro de los frecuentes lugares felices de este poemario, descubrimos:

"¡Toma mi mano!
¡toma mi alma!
Ser uno es ser todos..."

Uno y la totalidad. La esencia del ser y del cosmos. La finitud del poeta que, con memorable intuición, capta la infinitud. Pequeño universo para tanto Universo.

Holderlin, en lúcida interrogación, declara: "¿Puede, cuando la vida es toda fatiga, un hombre mirar hacia arriba y decir: así quiero ser yo también?"

El poeta, si es poeta, no habita en la Tierra con tibieza, con la desidia del vulgar, con la indiferencia de quien no quiere sufrir, con la sumisión del timorato. El poeta la habita poéticamente, dejándose herir, pereciendo y resucitando, como un dragón sediento, como "Gritos. El Lienzo de los Sueños."

Jorge Rulfi
(Escritor y presidente de Sade – Escobar)
Escobar – Buenos Aires 2015

If the doors of perception ware cleansed,
everything would appear to man as it is: infinite.
Because the man has locked itself to see all things
through the narrow slits of his cave.

William Blake (1757 -1827)

Gritos
1995 – 1996 – 1997

Las sagradas y eternas criaturas
devoraron el pasado del Ojo,
para que la humanidad no sea
testigo de la verdad del futuro
y sólo vivan el presente como un sueño.
Sus Gritos me han dormido

A. V. d. L.

I

Todo en un punto...

Ítalo Calvino (1923-1985)

Ven conmigo y móntate en mi alma,
viajaremos por nuevos caminos ilustrando a este lienzo
y donde sólo nos transportaremos a los sueños.

Ven conmigo y móntate en mi relámpago,
viajaremos por los bordes del cosmos
y pintaremos la rúnica de los espejos
donde nos uniremos en sus reflejos.

Ven conmigo y móntate en mi interior,
viajaremos por este vacío para tejer su infinito delirio
creando solsticios y firmamentos.

Estira tu ser con el mío,
fluye y transfórmate en divina magia,
haz brotar la tempestad de tu destino,
alcanza mi dedo, unamos nuestras diferencias
que con una sola voz surgirán todos los gritos.

Y...

¡Hágase el nuevo tiempo! ¡Hágase el nuevo universo!

II

Grito y gritos…

El grito del universo, el grito del principio
iluminando a un lienzo que durmió perennemente.

Los gritos del Dios y los Dioses,
de la espada que forjó su orden,
del templado camino de los orbes,
de las novas y las vastas auroras,
de la estrella de arena y el iris de la luna,
del primer poniente y del único antiguo,
de los tesoros y el nuevo Edén,
del renacimiento de las sombras,
de las sagradas y eternas criaturas,
del fuego de Prometeo para el hombre,
de la muerte austera y el espectro,
del profeta que no inventó las profecías,
de la filosofía que dejó Sócrates,
del sabio patriarca en las bibliotecas,
de las viñas que cosechan la sangre del Hijo,
del rey y la reina que bebieron el vino,
de los nuevos mensajeros del alma,
del Elfo y la Doncella en la tierra media, de
la libertad y la lujuria de los amantes, del
amor abrazando a su hermano el mal, de
los que resisten de pie estando muertos.

¡Gritos y más gritos!

Los gritos de La Ciudad Oculta del Norte,
el hogar donde nací,
el hogar de mi ser omnisciente comenzando su poesía
sobre la vigilia oscura del sueño.
Un portal los espera a aquéllos
que tienen miedo
sin saber cuánto tiempo estarán allí,
la muerte irónica puede reír
pero seguirán aquí
aunque el Ojo los está observando en su misterioso laberinto
donde es asiduo su versión original,
donde no están vivos,
y con fuertes gritos hallarán un despertar
recorriendo el nuevo catálogo del camino.

Yo…,
aquí nací, aquí comenzaré, aquí soñaré.

III

De los sueños un sueño alto como
un breve paso a la eternidad.

Jorge Rulfi

Lo siguiente lo escribí en un pasillo de junio de 1997.

A.V. d.L.

El lienzo nos viste en su matriz
como un vertiginoso ilustrador de sueños,
su espectro nos cubre de piedad
mientras dormimos en un letargo apacible
y acurrucados en su esfera
el sabio patriarca llamado vida
nos desposa creando el nacimiento que es de todos.

La dulce Diosa de la aurora con
sus ojos en gritos y llantos
vocifera arduamente el dolor
que es un heraldo:
Bendición de mundos.

El Lienzo de los Sueños
trajo a un bebé misterioso.

La Diosa…

La Mujer Escorpión ha parido al
niño de los siglos venideros.

Mesías…

No es el profeta del pasado
ni el salvador del presente
ni el loco que urde un mañana,
sosegado; oteó con abundancia
al vergel natural que lo protege.

Ojos de cristal,
mirada cavilar, profunda,
cabello sedoso,
las manos maternas acarician el rostro
de la esperanza en su hado ingénito.

Canta bebé…

Muévanse al nuevo sueño de los gritos
donde todo es infinito y es nada,
muévanse a las montañas del Olimpo
que los nuevos Dioses serán dragones macilentos del sur.

En la vastedad de su vituperio,
abrirán atajos apóstrofes uncidos al alba
despertando bajo el frío de la medianoche
y en un vahaje de fuego preexistente
el solsticio se hará granito reencarnando al sol.

¡Muévanse que todo es un sueño!

¡Toda la eternidad en su magnitud!

Muévanse,
que los gritos desesperados
no podremos escucharlos en este lienzo
y bajo la bruma del rocío, renaceremos.

Un espía:
El Niño que todo lo ve, ahora camina.

IV

Escucha el resonar de las estrellas por la mañana,
las que comandan la ubre del cosmos refulgente.
Siente el céfiro embellecer tus mejillas
y a sus alas agitando tu presencia sobre los días.
Crece rápidamente rebelándote contra los ángeles,
observa del otro lado al tiempo desgranándose en la vigilia
y a los jóvenes que padecen por su bandera.
Él sonríe misericordia;
oye a tu fantasma exhalar la simpleza de su verdad.
Vástago y antiguo es el viajero que lo mira,
y su ósculo se transformó
en un beso femenino sobre sus labios
acongojando cambios al ser que lo habita.
¿Cómo podrías escuchar tus gritos pequeño niño?
¡Corre hacia ella! ¡Atrapa su alma y piérdete!
Gritos de los mares que vienen,
el viaje más preciado de los ángeles.
Tú, cuya juventud hoy vigoroso y eterno
será un endriago entre los hombres
aquél que nutra un efímero amanecer sobre esta tierra.

¡Alcanza a esa mujer!... Vive tu primera gota de amor.
¿Serás tú en sus velos el rígido ayer?

V

Una mujer,
curioso cuerpo de seda y papel;
camina por las orillas del lago
y danza diminuta cuan cisne avaro
alaba la luna y la noche llena.

Mujer salvaje,
criada por salvajes,
su flébil amor infunde nostalgias
erigidas por la blandura de sus poros
que tal piel desgrana arena sideral.

Tú la ves, viejo niño,
ya tienes conciencia,
ve a sus aposentos
y bebe la infinitud de sus besos.

Ella te guía,
te mostrará el catálogo de andanza como
enigma de las tribus del mundo gritando
sonetos y baladas etimológicas.

Ve a su altar,
desviste su seda
y exhala tu grito inmortal con excitante destreza
que hará de ti el dominante asexual de su propia sexualidad.

VI

La lengua que jadea tu boca
Besos lentamente perfectos
Manos sigilosas hacia el cubil
Pieles enfurecidas de ardor
Intimidad húmeda excitante
Penetración voraz del deseo

A tu lienzo y

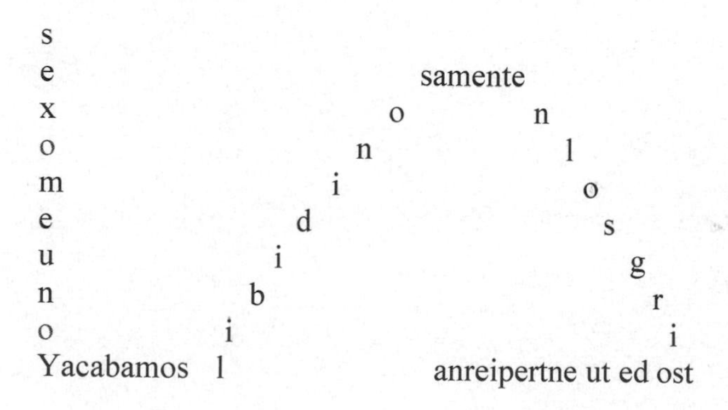

VII

Ignorance is degrading only when
found in company with great riches.

Arthur Schopenhauer (1788 - 1860)

No está oculta la realidad
que el niño ha visto escapando de su mirada
y en la cúspide del templo de la miseria
ve cómo roban el vestido de un gitano
y los niños del andén duermen con leones del andén.

Ellos no temen a su soledad. Abismo…
Mendigan el polvo de las piedras
y en la colina sagrada cefalópodos reyes
los ignoran dibujando una sonrisa sin rostro.

¿Cómo abrazarlos?
¿Cómo poder sacarlos de su azar?
¿Cómo saber lo que desea el siervo?

Algo bondadoso, muy benevolente.

Ficticia…

No será vana la vaga manera de existir
estando exactamente en la luz de los instantes
donde el orbe se refleja en su jardín
y los gritos de los niños yacen dentro del cristal profundo,
merodeando tímida la imagen del silencio.

Detrás,
en los espejos el albur.
Delante,
en las almas el tahúr,
y en la serenidad de las máscaras
lo que siempre está…; la soledad, solamente sola.

VIII

Los raros Dioses aparecen,
mueven la tierra fértil del humus y la fogosita,
alimentos de los hombres para el sembrado arado
bajo los truenos desesperados de la antigua tempestad.

El hálito vagabundo
suena con rara sinfonía,
la estirpe del viajero que la compone
hace de la aurora
un manto indómito en la cima del ocaso.

Tú, viajero de premoniciones:
Tú ves al sur acercándose
con sus ojos de fuego,
los mitológicos hexagramas que son reales
y el cetro de la reina abolirá su deidad
por los gritos del pueblo que la ha de despojar.

Te encuentras en un camino que dejó al tiempo incierto
pero hay un destino detenido
que ahora es un desierto *manantial-mente* orlado
y *arenosa-mente* hecho de mar,
igualando a los ojos de los espejos
liando misterios lluviosos, éticamente nebulosos.

IX

Una ciudad quedó en lo más hondo de las sombras,
en los laberintos de la memoria del hombre que fue un rey
y su sangre un reino olvidado.

Las pandillas hermanadas con el caos
alzan su voz rebelde
cosechando oscuros sucedáneos en el Oriente.

La noche sin estrellas
levanta el lamento de los cadáveres
y los mendigos clavan banderas sobre sus cráneos
cantando salvaje.
Suicidios…, pasos de oro.
Reencarnación…, lamentos sagrados.
El Niño…, eidético visionario.

Alguien los guía por caminos
discordantes, efímeros, abstractos,
sus gritos son tangibles a la quietud
y la polución de los párpados muertos
nos da un canto de arte en los vientos.

El hombre que fue un rey
y su sangre un reino olvidado,
da a un nuevo tiempo ¡una espada!
y grita a un nuevo rey, un círculo sagrado.

X

Don't sell out yourself. You're the only thing you have.

Janis Joplin (1943-1970)

Ella… Ojos de pantera,
una elegida del que todo lo ve.

Su pelo suave siente la brisa de Pasífae
envolviendo su rostro con respirar
y declinada sabiduría – lúgubre eternidad –

El manto del apareo (salvación)
abraza a la naturaleza
orillando un deseo
que brota de sus intersticios,
su mirada atronadora
y bellamente entristecida
fecunda la armonía de los vellos
erizando su piel, sin que lo mengue.

Ella mira a tu percepción,
te enamora niño de los sueños,
has crecido gritando a la Diosa de la bondad
despertando en tu alma; cambios,
despertando en tu ser; mortalidad,
despertando en tu mente; sabiduría,
despertando en tu cuerpo; excitación.

Amor… ¿Cómo es el amor?

¿Cómo es sentir su infinita locura?

Bebe el elixir de sus afásicos labios
y tiernamente dibujados con huríes;
arista tus gritos hacia su amor
que siempre será tuyo si vives en su sangre,
aventúrate a un camino Dríade
que el Lienzo de los Sueños te ha elegido
desde el alba de su paisaje hasta el beso de tu carne.

XI

¡Gritos de unión!

¡Gritos de hermanos!

Hermanos de los principios. ¡Griten!
Hermanos de pueblos originarios. ¡Griten!
Hermanos de la mitología. ¡Griten!
Hermanos de Egipto. ¡Griten!
Hermanos del África. ¡Griten!
Hermanos de la libertad. ¡Griten!
Hermanos de los raros Dioses. ¡Griten!
Hermanos de la humanidad, blancos, negros,
seres y otros seres, sean unidos en un mismo ser.

¡Gritos de orígenes en una sola voz!

Nacimos de la tierra bajo un grito misterioso,
cósmico; hoy, se levantarán las plebes unidas
y victoriosas urdiendo gritos a su semejanza
componiendo versos intrincados
que distarán las páginas del porvenir,
y no exasperarán los furtivos triángulos de la esperanza.

XII

El Ángel (deidad del séptimo círculo)
observa el nacimiento de un animal;
las criaturas resisten de pie.
Una clepsidra
que lenta es la gota del tiempo luctuoso,
busca en los pasillos un paisaje
no más nostálgico que el Ganges
ni más austera que la muerte.
Los lobos gritan a la noche llena y
en un ébano se sosiega un búho,
vigilando la oscuridad de los falsos guerreros
destrozando al verde inmortal.
La luna,
que siempre es luna dorada en plata,
es testigo de la vigilia humana desde
el primer Adán
que "*los señores sagrados*" han creado.
No es vano el báculo de Egeón,
dueño de mares y ríos
que levantó y levantará el agua secular
forjando un desierto sobre los páramos terrenales,
como aquella ciudad perdida en los cielos
cual destierro fue de otro Dios.
El Ángel del séptimo círculo:
cálido guardia nocturno
busca también un lugar verde en su dormir.

XIII

Pueblos fantasmas,
calles vacías
y obscuras camas de rocas,
soportaron la diáspora de la aurora
en un atardecer fenecido en bronce.

El anillo que nos transporta al
vuelo profundo de Hipnos,
muestra los gérmenes principios
de las noches Americanas
y las sombras aniquiladas de Buenos Aires.

Yo,
que tuve en mis manos el pan del mediodía,
que tuve el jarro sagrado para los niños del tren,
que tuve el abandono de las ancianas horas,
que tuve mi propia copia en los espejos,
no fui más que un apócrifo entre poetas.

Tú, viajero, has visto cómo el terror desposó
al hijo de un rey que pereció en las alturas
y en un cóncavo de ajedrez el antaño alfil
derrumbó a sus peones traicionándolos.

¿Dónde quedó esa poesía que has escrito
y que hizo de tu prosa
el lenguaje gobernante de su destino?

¿Dónde están los festines
que llevó la esclavitud del pasado
hacia el motín de las nuevas estirpes?

Un cofre de cristal, melódico soneto,
que abres desde tu cuna deshabitada los
recuerdos socráticamente prodigios;
lacónico sobre el escabel reposas
y observas la siguiente premonición que
desde su laberinto el lienzo depura.

Buenos Aires y el Norte,
simplemente son nombres de libros antiguos.

XIV

God is day and night,
winter and summer, war and peace,
abundante and famine.

Heráclito de Éfeso (540. C-475 a. C)

¡Oh música! ¡Oh soneto! ¡Oh melodía!
Se renueva la sinfonía desde el alba
y el universo se hizo alma tangible
con la criptografía en el Lienzo de los Sueños.

¡Oh gritos! ¡Oh voces! ¡Oh llantos!
El unicornio es del Elfo
que antes fue Ángel y ahora es Hombre y
se transporta al dulce tiempo arenoso
quebrando el destino de los que mueren.

¡Oh Chrestus! ¡Oh Mesías! ¡Oh Omnipotente!
En su Grial femenino guardó la herencia
de los milenios sobre la tierra. No es el Hijo
del Dios ni el enviado entre los hombres,
es el Dios elegido que dejó al numen celestial.

¡Oh hechiceros! ¡Oh brujas! ¡Oh magia!
Los truenos cortaron el aquelarre pagano
y desterraron el Samhain e inventaron el día
que desdeña su sabiduría medieval hasta
los confines de los que hirieron a la naturaleza.

¡Oh mitología! ¡Oh leyenda! ¡Oh historia!
Las innúmeras constelaciones y profetas;
han herrados los hexagramas de los Dioses
y el lánguido camino de la sierpe
grita a un círculo de plata que la noche no borra.

¡Oh Sol! ¡Oh Luna! ¡Oh Estrellas!
Ser los ojos sobre la miserable enfermedad
de los elementos presididos por Prometeo
que obsequió el fuego y antes ya estaba el agua,
el aire, la tierra, y ahora la espada y la guerra.

¡Oh mar! ¡Oh río! ¡Oh vertiente!
Legendarios son sus brazos que dieron la vida, el
mar que cruzaron los genocidas de los pueblos
originarios; el río Aquerón cual Caronte transporta
las almas, y la vertiente sagrada que nos dio la eternidad.

¡Oh amor! ¡Oh pasión! ¡Oh sexo!
No sé por qué te he amado tanto
pero sé que una vez te he elegido
y aunque no estés aquí en mi sombra
tus besos siguen comparándose a mi muerte.

¡Oh música! ¡Oh soneto! ¡Oh melodía!
En la soledad veo los géneros mezclados
renegando de sus pétreas carnes,
imitando la feminidad y la masculinidad en las esquinas
y así la sinfonía se halla renovada desde el alba.

Somos bajo las cosas, eso que nos dio a descifrar;
un mandato divino acecha vagamente
en la ciénaga del poniente furtivo
y condesciende receloso el antiguo amigo
que predice la morosa llegada de la dicha.

Somos en los sueños actores opuestos
y también dueños del ámbito que nos rodea.

XV

El amor,
que desnuda providencia
nos despierta vanamente de
tus soles sobre el ocaso.

Pero si nos invoca
una armonía natural
en su estela benevolente
de gozo maternal y dichoso…

¿Por qué las lágrimas?
¿Por qué las gentes caídas?
¿Por qué todo es el olvido?

El tiempo nos desposa
de un ósmosis en vuelo,
que la muerte se hace sueño
y el sueño se hace otra muerte.

Allí te he visto:
En los ríos de tu cuerpo
haciéndose de mi boca
el vahaje cálido, abrumador,
que eriza tus vellos
perfumando la piel
que te viste de noche llena.

He mirado tus soles de
color pantera y oro, he
oído tus rezos
de inescrupulosos sonetos,
he acariciado tus dones
de impávidos crisoles.

Y también he visto
tus llantos al marcharte
de mi temprana edad.

El amor, vasto, sencillo,
un juego de azar uncido
a un crupier lento y diestro,
demoliendo los hilos
que penden de los gritos
humanamente fallecidos.

¿Por qué es tan triste?
¿Por qué es tan alegre?
¿Por qué es tan primaveral?
¿Por qué es tan joven?

Si yo, me he enamorado
siendo un anciano
en una mañana de hielo
donde el mármol labró
los epitafios de polvo y hierro.

XVI

Brazos en alto, historias de viejos patriarcas. Poetas de siglos pasados, bibliotecas antiguas que guardan en sus anaqueles las sabias palabras y tesoros de la alquimia que no halló ninguna piedra *Filosofal,* pero un demorado Dios nos concedió el don del secreto.

Hermosos libros: descubren la bestia sagrada que se oculta dentro de los laberintos del conocimiento. Aquí, los acrósticos de un profeta, revelan el orbe misterioso y en su silencioso cuarto narra los gritos y las visiones de las miserias venideras; también, las bondades que ordenarán obediencia convirtiéndose en opresores.

Pégate al grito del águila que su visión es guía de los Mayas, los Aztecas y Chamanes y todas las tribus. Pégate a los gritos de las cavernas, donde nuestras mentes son prisioneras. Pégate a los gritos de las sagradas y eternas criaturas convergiendo en este libro. Pégate a los gritos desesperados de los sexos gimiendo en los rayos de la lujuria y el pecado. Pégate a los gritos de la Mujer Escorpión que parió al bebé de los sueños. Pégate al grito del *Tigre de William Blake*, a *El Oro de los Tigres y el Otro Tigre de Jorge Luis Borges,* del *Tigre que vive con Harkaitz* y pégate a los gritos de todos los Poetas que dictan los libros, escritores del alma, escritores del alba y mensajeros del flujo divino.

Pienso en ti, Niño, que duermes tantos días y tantas noches, aletargado y vivo dentro del lienzo como viajero en que te has convertido, pienso en la aurora del Febo cuando cae la tarde y tú estás allí, para continuar el designio de tu clarividencia en la vasta reminiscencia que nos muestra una eternidad, un desdén, una conciencia y un falso fin, donde se desvanecen las estrellas.

XVII

Me veo en un paso trunco;
y en un jardín ignorado seremos épica y polvo y
en el mármol yacerá nuestra vestidura eterna,
donde el silencio es pródigo amigo del viento
que da música al descanso inverso
rompiendo el bello diálogo de los muertos
cuando el sol es uno en el día y otro en la noche
y la luna un eclipse total de arena.

En él, caerán batallas,
se alzarán religiones y perecerán otras, en
él, habrán callejeros, blancos y negros,
máscaras y carnavales, sexo artificial,
vendrán gritos de tierras lejanas
y rostros que no alcanzaremos a divisar.

Pero… ¿Es eso lo que experimentaremos?
La doctrina de ser un cuerpo
con hilos invisibles
y manejados como peones de ajedrez.

Las épocas distantes, inalcanzables,
pero algo que está presente,
más arduo que el canto del pájaro en la mañana y
más omnipotente que la oración al Dios oculto.
¡La esperanza!, que es un manantial sabio y un mismo azar.

XVIII

Se ocultó el ocaso
y en ese instante me he quedado ciego.

He perdido los tesoros
guías de mis sombras,
he sentido el rechazo
del oro en mi pecho
y con un simple golpe
caí en la oscuridad
que dejó inválida mi alma.

Levanta tu cuerpo mujer,
salgamos de este callejón niño,
que los lagos están llenos de escalofríos
y nos enfermaremos de hipotermia.

Amado o no…

¿Qué será de ese ciego que soy y que veo?

XIX

Un lápiz y un boleto:
Los niños del pasado susurraron en mi oído; esas noches eran el mismo presente en que escribí el origen de esta poesía, en 1996.

A.V. d.L.

Amaneceres…

Se vivifica la luz de adustos instantes,
los que nos guían por torbellinos estridentes
como gentes inmigrantes;
idiomas vertiginosos, trabados y antiguos.
Testigos astrológicos:
Depura tu visionaria deidad,
Niño, joven hijo de la Mujer Escorpión.
No podrás morir sin deseos primordiales
de sombras abstractas y días de fértil aljibe,
no ahonda tu nostálgica alegría
que en la suave aurora declina una impetra
absurda de atardeceres adánicos.

Visítala…

Un ser del suelo, experimenta el dolor arduo e inclinado
a las formas de las congéneres, su voz tenue
y casi igual al silencio, llora en los alborotados prados
que jamás has conocido y de verdes bosques
son los ojos de la princesa sexual
y la mente misteriosa, más felonía y tenebrosa.

Atardeceres…

Allí se esconde la serpiente,
dentro del Edén imaginario,
habiendo olvidado el olvido de ser humano
y que tal palabra “amor” es sólo de un diccionario
pero conlleva una conexión de inmejorable blancura
como la rosa y el jazmín de comuniones,
tanta pureza y tanta vanidad. El sapiente amor,
como incondicional también es maternal.

Anocheceres…

En valles oscuros e imágenes de elegías
hay un perímetro petrificado en tu vida,
Niño que todo lo ve, lacónico te observas
caminando junto a la elegida de tu ser
y miras en su vientre la mágica joya de tu sangre
que cambiará los puntos cardinales del lienzo
y será más visible la vida que el visible miedo de vivir.
Pero… Aún no despiertes.

XX

Nadie rebaje a lágrima o reproche
esta declaración de la maestría de Dios,
que con magnífica ironía me dio
a la vez, los libros y la noche.

Jorge Luis Borges (1899-1986)

Yo he visto a un ciego tocar las piernas de una chica
y esta chica le robó sus ojos. En un banco de 1997.

A. V. d. L.

El libro:
la chica que habla con un ciego
en la plaza del amor
y los barrios aventureros.

De una escena a otra me
conduce este sueño, si
pudiera ser su dueño
habitaría en los espejos
su mirada vil y sin complejos.

Si el ciego supiera
que la chica es el libro,
se haría adamantino
su amor más repentino.

No me alejes del sueño
¡oh grito muy pequeño! que
la chica es un diamante
y yo, su tan destinado amante.

En el lienzo
una chica habla con un ciego,
él acaricia sus hojas
y ella besa a su eterno ego.

¿Qué le dirá la chica al ciego,
cuando éste toque sus piernas y
sienta el braille de su apego?

XXI

...y los Ángeles se han puesto alas en sus espaldas.

El Libro de Enoch. (S. III a. C. y I d.C.)

¡Santos! (como rezan los justos).
Los Santos que llevaron a Enoch
por las puertas del pasado y del mañana
sin saber que era el Hijo del Hombre
el hijo de Set, la encarnación de un Ángel
de noble advenedizo influyéndose en los apócrifos
de una Biblia contradictoria.
Santos serán los que recuperen la vista
porque nacimos ciegos
y sabios sus horizontes pundonorosos a la causa.

Neófita las noches Americanas en Europa,
frío los amigos Europeos en América
desandando lentamente las cortezas de esta tierra
y tú estás ahí, en lo más profundo de mis ojos
cruzando la niebla y las estrellas
y en un brío de magia desmedida
queda un diverso sonido en tus labios haciéndose música.
Santos; en el imperio del Norte se encuentra
quien desciende del África, hermanando esperanzas de los que
se han alejado y los pueblos levantaron banderas y esferas que
oteó el desvanecimiento prodigio de las gemelas,
y el Oriente se desgrana en el estío deleznable.

Te escucho a ti que orientas mis pasos
con tu dulce música y pienso quién eres. – Fantasma –
Me buscas en la absoluta facultad de las tumbas
sin oprobio al descanso apodíctico
y será de todos el conocimiento de este sueño
y cuando atravesemos su muro, nos encontraremos.
Santo el Lienzo de los Sueños, que no defrauda
mi locura de verte y si no estás, cómo poder entenderme,
¡oh visión divina del universo!, que me reservo
tu cielo enervador y el influjo de ser maestro profético
oreando el vaho de tu paisaje infinito.

Gritos, yo escuché tus principios de llantos
y alcanzar el corazón de los nobles,
de los niños del monte cazando su alimento
como primitivos jugando a ese juego inalcanzable,
la enfermedad de haber nacido bajo un círculo geométrico.
Yo, jugué con esos niños en el patio del Occidente
y escaparon del aborto de una pareja ínfima, agónica y turbia.

Santos los mares y el mar de lágrimas,
santa nuestra libertad de gritos sostenidos
adentro del paraíso indescifrable; santos los días
en la avenida seráfica de la lujuria y las mañanas tristes
de Eva que olvido la manzana en otro Edén.

Gritos, Santos, El Lienzo,
Indio en trance danzando sobre las brazas
murmurando el canto de su tribu,
ignorando el pasillo sensorial
y ecuestre en su caballo alado de cristal.
Tú, joven visionario
podrás dar cualquier respuesta a una pregunta
que aun así no será respondida.

XXII

Los niños juegan vistiéndose de barro,
aquí, ahora, descalzos sobre el viento.
¿Qué compresión de amor darías,
si con tus símbolos te haces noche
y bajo la noche dilatas tus sueños?

Si miras el arrebol que los cubre,
verás sus risas arropar tu vértigo y
con sus manos fríamente cálidas
volcarás de tus pestañas el lago
que morirá en tu boca.

Los niños asoman junto a ti.
Dales el sol de tus ojos
que allí está el camino de los ángeles,
dales la luna de tus labios
y ellos estarán donde desean estar.

Algo sagrado,
y un grito amado de tu don, de tu progenie, de tus años.

XXIII

Un cruce,
un cielo embebido.

¿Podríamos encontrarnos?

El mar visto desde un cuarto, una
ventana articulada semejante a
mi mente perceptiva hilvana en
sus orillas
el álgebra del tercer punto arcaico,
la sombra de mi alma sobre lo antaño;
un anciano y una espada.

Los pasillos divinos
y el milagro divino,
descripciones de la naturaleza
junto al catálogo cavilar del eléboro.

¿Estaremos en ese momento?

Lugar del miedo, exploran un laberinto,
el ocaso es hastío en tus ojos;
los niños bellamente bárbaros
desmoronan el filo del alfanje
y a las jaulas que dieron prisión a las poluciones ajenas.

El sitio de la miseria.
Esplendor del aura,
gritan baladas modernas
de imágenes y daguerrotipos
que atrapan tu vista sosegada,
mutantes nuevos y también antiguos.

¿Inventores del nuevo oro?

Aquí estoy:
Detenido en el proscenio divino;
cómo adherirme a lo simple y estelar de esta vida
que no es más cautiva
la forma infinita de ser yo, en un mismo tú
y en un mismo hombre
que aunque destructor de su orden
un amor responde a las manos del alba que lo adora
y por largos ríos y cortos milenios
los infiernos se harán niños entre nosotros
aguardando el puro rubor de los instantes,
aguardando al viajero visionario, que eres, que soy.

¡Toma mi mano!
¡Toma mi alma!

Ser uno es ser todos;
la infinitud del universo,
complemento del nacer y del cosmos
que en su épica histórica
será de Dios, nuestro espíritu.

¡Gritos!... ¡Gritos!... ¡Gritos!...

Alcen los gritos;
allí estaremos, en esa cúspide de paz,
en esa luz de ópalo y orbe
llevándonos en su circular matriz
hacia los niños alados
que esperaron la redención de la humanidad.

Soy el Ángel, soy el Elfo, soy el Niño, soy el Hombre,
soy el Ser, soy quien recorrió las reencarnaciones
de todas mis generaciones y hoy desperté
y tengo conciencia, sé cuál fue y debe ser mi experiencia.

¡Soy El Lienzo de los Sueños!

¡Toma mi mano!
¡Toma mi alma!

Sobre el cruce, un cielo embebido;
su soplo forjará un camino
y ahí en ese punto estaré… Esperándote.

XXIV

Un ser me señala el horizonte
y diviso el umbral del barrio en que nací,
olvidando vanamente los regalos del tiempo al regir los días.

Como los regalos de mi mente;
soy ese presente cuya aurora son los momentos
que me dieron una casa sobre los cielos.

Si yo hubiera sido una vez (tal vez más veces)
ese secular destino llamado amor
o designio del amor correspondido o rosa o silencio
o música que arrastre mi corazón al oro herbario,
tempranero como el sol: pero no fui nada.

El espectro de sombra me señala las
calles aguadas en penumbras que
caminé con la mujer del Ghetto
respirando el vaho de los jazmines.

Ay, barrio añorado. Jamás te he vuelto a ver;
no aprendí lo que es el ajedrez
ni tampoco el cruel juego de los naipes
para que el azar no desdeñe mi suerte y
en esta nebulosa – como el polvo – eres
olvido donde ya no te concibo.

Ya no están los pájaros en la mañana,
ni el desayuno de mi madre con mi hermana,
mi niñez, mi adolescencia, ya no hablan,
aquellos amigos perecieron con los astros
y no quedó rastro dentro de mis años.

No soy más que un *poeta*
florecido de tu onerosa estirpe barrio mío,
un extraño del verbo y el manuscrito
y un mensajero divino; quién sabe Dios
de qué Dios prodigo, la esencia entre los vivos
y el llanto sobre los muertos pronunciando gritos.

¡Ya no tengo nada que ver contigo!
Pero de una manera te escribo desde
las profundidades del sueño perdido,
un canon eminente, cual Leteo rema el Barquero
a quien di dos monedas por tu paisaje sostenido.
El Ser, el espectro me señala tu despido; perdóname
por alejarme del sepulcro inmerecido de mi humana
ignorancia, no deslíes la hoz inmortal de nuestro averno.

Qué pena, jamás podré acercarme a ti
ni a tu amor jugando en el sitio de los niños,
qué pena mi egoísmo de olvidarte,
pues llevo en mi olvido tus azules días y tus blancas noches,
qué pena, no volveré a verte barrio benevolente
porque así lo sé, moriré de frente e inocente
y qué pena la nostalgia que me provoca tu gente.

Tal vez en otra vida o en otra eternidad,
tal vez en otro portal de la muerte te hallaré o me encontrarás
y fusionaremos cuerpo y alma
aunque sea una pobreza tenerte:

¡Tal vez! No lo sé…

El Lienzo de los Sueños
2013 – 2014 – 2015

In the womb we are blind cave fishes.
Everything is vague and vertiginous.
The skin swell and there is no distinction
between body parts.

James Doublas Morrison (1943 - 1971)

XXV

Hanhepi iyuha mi ihanbla ohinni yelo
Òn sunkmanitutankapi hena
sunkawakanpi watogha hena
oblaye t'ankapi oihankesni hena.

Jhon Two-Hawks. Lo descubrí, una
noche de octubre del 2013.
A los pueblos Originarios de toda América.

Gritos de Águila desde el cosmos,
un Águila,
tan pequeña se desliza sobre el desierto
que sus ojos penetraron en mi ser y puedo verte.
Sioux;
de sangre tú, danzas con diáfana gloria junto al fuego
y tu madre es como la tierra,
la misma tierra dorada de América.

¡Canta Sioux! ¡Danza Sioux!

Da música
con el pacífico sonido de tu flauta,
conquista las eras de los Dioses
tan sabios como la naturaleza de tus mundos.

¡Oblaye! ¡Oblaye! ¡Oblaye!
¡Tierra bendita que gritas al sol!

Llama a tu tribu
como el Águila al viento.
Canta a tu tribu
como el Lobo a la luna.
Corre por tu río
como el Bisonte en la llanura.
Tu vista, tu olfato, tu tacto, tu piel, tu fuerza,
no hay perfidia de ningún blanco
que destierre el espíritu que llevas.

¡Gritos de Indios Sioux!
Gritos que jamás fueron de guerra;
fueron gritos de canto a la tierra
y ha de ser bendecida en toda alegoría nativa.

¿Qué sangre se ha derramado?
¿Qué sueño se ha perdido al final?

Hermanos… ¡Canten!
¡Canta Sioux! ¡Danza Sioux!
¡Oblaye! ¡Oblaye! ¡Oblaye!
¡Tierra bendita! ¡Gritas al universo!

Viviste mucho antes que el mismo tiempo
y que el tiempo te ha traído a los de blancas pieles
y orgullos retorcidos en sus císticos.

Domador de salvajes corceles
y ecuestres en sus lomos
cabalgando en el alba de la noche llena,
adorando de paz a tus mujeres
junto al tornado del norte que te hace más fuerte.

Hermano mío... Sioux...

Soy el viajero del lienzo
y de sueño y ensueño
mis capítulos me trajeron hasta ti;
John Two-Hawks apadrina tu memoria hablando
al universo con la armonía de su flauta brillando
decuplicado la tribulación de tu causa.

Aún están esos espejos
en la vertiente sagrada copiando tu cuerpo,
aún aúlla el lobo gris y respira el bisonte,
aún laten los campos y los bosques,
aún tu alma está al alcance de tu pipa
(ella emana la mística jovial de la percepción).

¡Canta Sioux!
Mis hermanos del sur te bendicen:
Mapuches, Tehuelches,
que los Burgos no han podido desterrar.
Mis hermanos del norte te bendicen:
Hênîa, Qom,
que de su originalidad, también son tu familia original.

¡Danza Sioux!
El Universo te bendice;
Sol, Luna, Estrellas, Ríos, Tierras, Fuegos, Vientos,
en la soledad de tus praderas canta nuestra madre.

¡Oblaye! ¡Oblaye! ¡Oblaye!
¡El Sioux grita a la inmensidad!

Tierra bendita, sueña un día llegar
a abrazarte en su harapo
y cuando sientas los truenos verás
al nativo pueblo americano unido
en la cima de tu frontera.

¡Oblaye! ¡Oblaye! ¡Oblaye! Gritos

de Águila desde el cosmos;
sus ojos penetraron en mi ser y pude ver
tu mirada taciturna reflejada en la mía.

Sioux, con tu voz inmortal danzaré
en este vigoroso sueño que apilan
tus gritos silenciosos burlando al
Espíritu misterioso que no podrá
conquistar tu magia.

Sueña, valiente Sioux, sueña... No te abandonaré.

XXVI

Alejo y Matías han estirado sus manos
sacándome del Esepo contaminado de mi mente; y en más
de una "Escena" de mis sueños,
los he visto con una sonrisa y me llamaron "padre".
Yo, aún no he dado nada.

A.V. d. L. Noviembre del 2013 escribiendo en un
bar situado en la visión: ella fue testigo.

¿Qué más daré de mí?
Si aún no he despertado
del intento interminable de ser feliz.

Pero… Los dibujo siempre en este lienzo, soy
dueño de formar y deformar los sueños y
aunque hay un reglamento del Universo,
singularmente no me detengo bajo su espejo.

Dos Semi-Dioses:
De mi estirpe han sido engendrados,
hijos de pródigos y prodigios, naturalmente amados
sobre las causas vanas de un León que fue un Dios y
será hasta el fin de mi cuerpo, un hombre
junto a la mortal vastedad de la existencia humana.

¡Niños! ¡Niños! ¡Niños! ¡Escuchen! ¡Sólo escuchen!
No me iré de ustedes, mis ojos son sus ojos,
sin importar en qué dimensión me encuentre.

Mi sangre reina en sus mañanas tersas
y en la prolijidad de sus noches.
Animosas esmeraldas adornarán los edenes de mi alma
que guarda para ustedes un tesoro sagrado,
anidando alboradas tejidas por resplandores de luz.

¿Qué más daré?... Si aún no he dado nada.
Dibujaré en el lienzo todos los lugares
donde me encontrarán:
En las piedras, en la brisa suntuosa,
en cada ave de las montañas, en los rostros de cada ser,
en el polvo, en los árboles, en el arrebol,
en los pasos de la misericordia,
en mis libros que les he obsequiado,
en su madre (pequeña ninfa), en los mármoles,
en los epitafios, en los espacios, en los puntos cardinales,
en el Río de la Isla, en el Mar que nunca conocí,
en los mundos de una y otra vida,
y siempre nos reuniremos albergando en la estela de amor.

Estaré en sus miradas:
Soy el progenitor de un Vencedor
y de un Hombre de Dios,
y todavía guardo sus cunas en la eternidad.

Niños; yo también soy un niño,
una hormiga entre esos planetas venturosos
y un efluvio sobrenatural que exhalo de mis pulmones.
Siempre los dibujaré; una y otra vez en las canciones
que en un pasado desgranado les canté.

Mis ojos son sus ojos y aquí me encontraré
con una acuarela y un pincel
ilustrando sus rostros en este Lienzo
que no es del olvido, pero sí es del recuerdo y del polvo.

XXVII

Tú..., le dije. - Hola, humano - enunció el Niño.
Me has seguido muchos años hasta aquí.
Mi otro yo. ¿Qué es lo que deseas?
¿Qué has hecho de mí?
¿No te has conformado con sólo fastidiarme?
No te debo nada, jamás te he esperado,
jamás hemos sido hermanos, jamás te he tenido en cuenta,
jamás supe tu nombre, jamás me has interesado.
¿Acaso te he robado la vida que tú,
que tú me has robado,
no caminaste demasiado a mi lado
estorbando cada línea bella de mi estúpida
y desgarrada presencia?
Ya:
Has hecho desmanes mi yo antiguo,
el oriente, el occidente, los puntos cardinales,
recibirán las tormentas de los días
que caerán desde la estrella herrumbrada.
¡Basta!
¡Me produces asco!
¡Vomito tus entrañas!
No seré la tercera sombra que provocará la tercera caída
desde el trono del espacio, esta vez, no me usarás; Tú...
No hablo solo, hablo con mi amigo el silencio
y mi yo que jamás serás: Tú... Destino.

XXVIII

Éste, es mi vuelo más repentino;
he visto el arbitrio de mi linaje
y en un pronto pasillo sin retorno
me ocultaré involuntariamente en su nido.

¿Dónde está?... No veo más su sombra.

Dónde está esa flor
que fuiste en mis noches de eterno patio
rozando mis mejillas en la fuga de tus ojos.

¿Dónde está?... Ya no veo su caminar.

Dónde está ese amor de ensueño
que una vez fue dueño de los jazmines de tu alto proscenio.

¿Dónde estás?... No te veo en este lienzo.

Llévame lejos; toma mi vida,
pero no me dejes sollozando con mi alegría
que una vez fue tuya y también fue mía.

¿Dónde estás?... No te veo en este sueño,
el sueño de un verbo;
veo en un laberinto precipitado a la muerte
que siempre es ajena, como un parto.

XXIX

Continúo mi viaje por esta muerte
que muchos llaman quimera – yo vivo en ella –
deteniéndome en su ápice
donde del cielo y la nebulosa bajó un mendigo
anunciándose ante mi presencia
como un ser divino;
me ofreció un trago de su vino
y cuando bebí de él,
el mendigo desapareció
y yo quedé congelado en la escena
sin retorno a mis ojos para abrirlos.

Pero el vino era eterno. Oigo gritos del otro lado
de hombres y mujeres dormidos
que luchan por despertar del arte de soñar.

Con su hábito desconocido
aireó un tenue viaje sobre los muertos necios
deseando levantarse de entre las ruinas
y volver a transformar al mundo en agonías.

Pero el vino era eterno. El mendigo desapareció,
aunque los muertos jamás escaparán de aquí.

XXX

Si el espacio es infinito, estamos en cualquier punto del espacio.
Si el tiempo es infinito, estamos en cualquier punto del tiempo.

Jorge Luis Borges (1899-1986)

La vida no tiene vueltas.
Pero si las vueltas fueran
como un reloj sin tiempo.
¿Quién abrazará al vestigio
de su extremada naturaleza?

Esa vida es una volición recta hacia el sueño
que no es un sueño momentáneo,
es aquél bordando un cambio
dejando de ser eso que fuimos
y ser un nuevo laberinto en los misterios
dándonos a conocer como la existencia.

Nos es más que una línea recta
que viaja sobre la eternidad
donde las vueltas son infinitesimales
y la muerte efímera en su astil de ilusiones
no depende de otra vida.

¿Qué humano o ser o ente
podría cambiar su dirección llana
y tibiamente derecha?

Si no tenemos la divinidad
de transformarla circularmente
como el reloj de Glashütte,
obviando que alguna vez sus agujas nos juzgarán
en el sentido contrario de la realidad.

Cronos ha sido desterrado
y la verdadera verdad
es que el tiempo ya no existe
entre todos los tiempos arcaicos
e ignorantemente humanos.

¡Oh plena y aurora venida!
Tú has visto mis días en este templo
y cuando termine el arte de pintar la poesía
despertaré de la ergástula
que posa en los hoyos de mis muñecas.

¡Oh vida llana y recta hacia el laberinto!
¡Oh vida que naciste con el destino!
¡Oh vida del no fin y etéreo Bing Bang!

Miraré al cielo sin cielo y estarás allí,
comandando las manos de quien te acaricia
seduciendo con tu mirada a mis ojos
y te seguiré soñando en ese sitio que es mi tiempo.

XXXI

Jesús apartó a Judas de los apóstoles y le
enseñó los secretos de su reino,
entonces Jesús le dijo:
–Judas: cumple con tu misión de traidor y yo
te daré una estrella en los cielos.

Jesús de Nazaret. (Evangelio de Judas Iscariote)

A ti sueño dentro de tu propio ensueño.
Muestras el primer libro de la historia.
El primero en mostrar el terror y el caos.
Ha de ser la impresión más histórica.
Ha de ser el dibujo fantástico del pánico.
Su escrito se enriqueció con la fe indómita.
Tuvo la misión de multiplicarse vanamente.
Es psicología de supersticiosos y religiosos.
Poesía de las no poesías y profeta de profecías.
Su álgebra y lengua enmudeció otras lenguas.
Engendró tinieblas descifrando a un Adán.
La cosmogonía de un jardín y de una Eva.
El origen del pecado donde siempre estuvo,
antes que El Árbol de la Sabiduría.
Las palabras anáforas y las vastas versiones.
El fin de una era y otros fines sin era alguna.
El cielo y el infierno, los Señores y el Dios.
La última cena con la discípula y el Grial.
El enviado que dio a una mujer una Hija
y ésta cumplió con el estigma de madre.
El traidor elegido y el poder de las monedas.

La resurrección del numen, la muerte de
la lanza ensangrentada por Longino.
Las tragedias cósmicas convergen en la tierra.
Las guerras mundiales y la primera espada.
Los tiempos medidos en varios relojes.
El fanatismo de las religiones
y la negación de creer en un Ser Todopoderoso.
Los reinados, los gobernados, los esclavos,
el paraíso santo, los genocidios, el Tártaro.
Grecia, Roma, Asgard, Cartago, Persia,
Sodoma y Gomorra, Jerusalén, África;
el *Ébol*, que come un continente y llega a otro.
Jeroglíficos, códigos, símbolos, señales,
hexámetros, hexagramas, mandalas, cruces.
Las esferas de diorita caídas de los truenos.
Los secretos del Imperio y el país Vaticano.
Las Pirámides, las Esfinges y los Obeliscos.
El cinturón de Orión y las puertas de Acuario.
Las dos batallas estelares y una batalla final.
El Génesis, el Éxodo, el Deuteronomio
y el alba dentro de los Evangelios y el Apocalipsis.
Su manipulación y la expulsión de su Prefacio
donde se encuentra la segunda versión mítica.
Las pestes, los jinetes en la dulce enfermad
derramando en los días la luz del orbe invisible.
Un Bang que derramó el semen del universo.
Toda creación necesita divinamente de un acto
sexual, de un masculino con una vasija femenina.
Sus primeras ciento setenta copias y una para el
Elohim y el Erudito que continuarán la próxima.

La caída de Shemihaza por enseñar la sabiduría.
El juicio final de los calendarios del Occidente.

El Libro Absoluto de todos los libros del Ser
que fue el primer poeta
y trajo su musa de un mundo perdido semejante a este planeta.

A ti sueño dentro de tu propio ensueño, dibujo
la poesía que me dicta el niño en la tela y veo
un tiempo de *M. M. C. X. I. I.*
y a la criatura elegida
editando el segundo Libro Absoluto del celestino
erradicando la vieja era y traerá la nueva eyaculación cósmica
uncido bajo el seno de su Éxodo.

Escuché sus gritos titánicamente silenciosos
y la nova de las páginas se deslizó – salival-mente –
cuando abrió su ejemplar liberando creación infinita,
pero, con tanto poder de su maestría, su obra…

…necesitó del hombre
para que fuera imaginada la profecía de otra tierra
y aun así no ha sido entendida y nos fue legada.

XXXII

He pensado en ti Angélica y tengo
más de un poema para tu alma. Siempre
te las leo, cada vez que te miro a los ojos.
A María Angélica Luque (1951), en 2013
en la soledad de mis espejos.

A. V. d. L.

En los espejos del tiempo sin tiempo
comprendí aquello indescifrable
a la mera manera de quienes me han criado
desde el albor de mi cuna
que ya no existe y me dio conciencia de niño.

¡Madre!
Que me tuviste en tus manos jocosas y
cada gota de llanto me has limpiado,
mi cuerpo has vestido, mi moral has educado, mi
tendencia arcana de crecer me has entregado, me
has enseñado a caminar
con tu forma sublime de amarme,
también… He sido esclavo…

Tú, me diste los primeros pasos en las horas
y saber que las horas fueron como la sombra
de una estrella circular dándole un lugar
a mi figura taciturna y verme sobre esa cosa
de prisma errante ocultándome el rostro.

¡Madre!
Concebir que tu matriz sea el universo
que me engendró, dibujándome en su aurora
la remota imagen caricaturesca de otro...,
y nos ha de llamar humanos divinamente
sin saber después
que otro universo se lleva nuestra carne
a la glorieta originaria de lodo ominoso.

Madre de mi Madre Naturaleza,
aún no he sido libre
pero amo tu manera de amarme
y amo tus caricias, de tiempo, nostalgia y alegría.

XXXIII

Dante, Da Vinci, Blake, Wells
tenían algo en común: la percepción y el orbe.

A. V. d. L.

En su breve grito, el universo converge el ocre
de los rincones más adheridos de su infinito
topándose con las estrellas
y consumiendo los designios tácitamente renegridos,
asomando un lánguido estío parpadeando sus pupilas de luz
que alcanzamos a divisar desde la tierra.

Avaro el oro de Acuario. Las columnas irradian
preciosos colores y sostienen los sueños
de negros temores y blancos valores
en un telón grácil de esferas modernas, enigmáticas,
llenas de magia, llenas de maravillas
formando celestes cuerpos que nunca tocamos
pero alcanzamos a tocar con nuestra vista y la argucia del iris.

¡Miren! ¡Estuvieron siempre!
Mucho antes que esta era
y que otras eras que se inmolan.
Las profetizó Da Vinci,
las escribió Dante en una Divina Comedia,
las pintó Blake creyendo que eran ángeles,
los ha visto Wells en su esfera de cristal.

Están aquí, en estos gritos que una vez llamaron Dioses
y nos observan tan de cerca
y somos tan semejantes a ellos, y tan sensibles.

Allí en sus demorados círculos
las columnas nos sostienen
para no caer en lo que el hombre mismo se condenó,
su propia evolución desarrollada a la depredación.

Del avaro oro de Acuario sus ojos nos inspiran
una radiante respiración,
una execrable tempestad
que unirá los mundos y las cuatro vías
en un solo conjuro maestro, en un solo cinturón.

XXXIV

1.

Gritos,
vastos gritos despertando
la áurea tribulación humana
y los seres de un punto infinito,
son castos perímetros infinitos.

2.

Los astros de las mañanas
susurran la articulada voz antigua
que prevalece bajo tus sedas
y tu piel se hace miel para mi lengua.

3.

El rostro de Paris fue el símbolo
de la belleza y la vanidad,
pero al mismo tiempo fue la eterna belleza
del miedo, como el hombre teme la belleza
de la muerte y no sabe qué Dios la concede.

4.

Gritos de doncellas en la obscura noche,
la puta y la prostituta no igualan el deseo
de un macho donde su género es degenerado.

5.

El bohemio de Buenos Aires
en la amistosa mañana,
despierta sobre las ruinas
de un teatro con ebrios fantasmas.

6.

En un ágora o en un patio
desgrana sus lágrimas una niña
arrodillada bajo la cruz derecha
que picó el cuervo sempiterno
y gritó al hijo de la inmortalidad.

7.

Te amaré una y mil veces más
y una vez más si es necesario;
me hincaré, besaré tus manos
y mi lealtad sucumbirá al poder del anillo.

8.

En la cumbre
un duende se degolló bajo
las joyas que robó de un
jardín inconspicuo.

9.

La copa que jamás fue un cáliz,
llevaba la sangre del ladrón
de tus ojos y en su larga barba,
la brizna del cigarrillo exterminado.

10.

Los gritos son demasiados
en la ajena espalda de la luna,
y las sombras guiadas por las calles
que no comprenden los idiomas.

11.

Sólo dime, niño.
¿No te basta mi debilidad?
Mi sangre esparcida por la lluvia
y ser en tu cuerpo la vigilia.

12.

Las doce partes del Ser,
las doce constelaciones del Astro,
los doce Apóstoles del Hijo,
los doce Ángeles de los Cielos,
los doce Dioses del Olimpo,
los doce Gritos de nuestro Niño.

XXXV

Los gritos:
Los inmarcesibles gritos de las moscas,
se posan sobre la sombra de un excremento
que una vez fue humano
y lamen los jardines de su rostro nauseabundo.
La sombra:
La inaccesible sombra de los espectros,
merodea en sus cenizas protegiendo los tesoros
de un Tártaro que surgirá desde las altas noches.
La joven:
La platónica joven, dueña de las orquídeas
declinándose en su perfume enervador
que alimenta los epitafios
y entrega a la brizna del invierno un receloso bardo.
El día esculpe sabiduría en los jóvenes,
el día busca en la infinidad tu amorosa destreza
y nos hace libre en su prisión de oro azul
que la razón sólo es un paso durmiendo en la mente
y este universo, un palacio en tu mano.

XXXVI

El lienzo se opaca con gritos errabundos,
soñando un sueño que sueña por soñar, la
ensoñada pertinencia del entresueño.

Un oráculo enciende mis ojos
y el niño – ya Hombre –
reposa en un ángulo del tercer *tipo-sombrío*,
emanando pensamientos
desde la gélida de su levitación.

Lleva en su frente el más perfecto miramiento y
el lienzo defeca las colusiones del entresueño
impidiendo que nada se parezca a nada;
los cuerpos caminando por las calles erróneas
sin pavimento, embriagados de una leve cadencia
que cuentan pasos tras pasos el andrajo temporal.

El tiempo, el infinito, lo eterno y lo inmortal,
todo se parece, pero nada es igual y es nada.
El destiempo, la línea, el sueño, la muerte y los muertos
desdibujan simpatía y el eléboro de una niña
atrapada en el plano paralelo sin poder entrar aquí.

¡Sálvala niño!..., o la salvo yo,
que soy tu misma mente;
tú me has traído a esta predicción ¡Sálvala!
de ese terreno efímero como lo efímero de lo adusto,
como lo efímero del talón que no es de Aquiles,
del azar, del jarro sagrado, del unicornio…

¡Qué bello es el unicornio! Se
parece tanto al olvido que lo
recuerdo olvidándolo;
toca mi sien y el oráculo se estremece
bajo la delgada sombra de un vestigio.

Yo, salvé a esa niña,
el lienzo volvió a brillar callando los gritos
de la indeterminación,
soñando un sueño que sueña por soñar
la ensoñada pertinencia del entresueño.

XXXVII

¡Griten a sus pasos!
No soy más que un engendrado
por una matriz
donde su agua nunca me ha ahogado.

¡Griten a sus manos!
No piensen que soy un enviado,
sólo nací en un lugar equivocado
sin haberme equivocado.

¡Griten a sus lechos!
Ser humano es más
que una razón para olvidar la adulación
en la que nos convertimos.

¡Griten a sus tiempos!
No temblar como las rosas
cuando pierden su tallo
es ponerse al pie de una felicidad deseada,
obviando el fracaso de un pasillo
inexorablemente abandonado.

¡Griten a sus eyaculaciones!
Qué perfecta creación fue la del semen
que su fructosa puede fecundar bellas
mutaciones horrendas como bestias.

¡Griten!... ¡Griten!... ¡Griten!...
Los Altísimos no nos han parido.
¡Y qué sé yo de Altísimos!
Si no soy más que un engendrado
por la dulce matriz de mi madre
y de su mano; Antares, la ayudó a parir.

¡Griten!
Que aún voy por la mitad del camino
y mi destino es salir de aquí.

XXXVIII

...Mientras eso sucede, sucumbe a la condena
Lo que resta de su cuerpo corroído por su verba:
vigilias de sueños, jirones de inocencia.

Javier Bibiloni (28-04-1979)

Las casas de mi ciudad están hechas de barro, como de Teos horneros, las masas inclinadas hacia el poniente, luchan y trabajan su viaje imperecedero. Los patios, los jardines y un puñado de ocaso, huelen a una eximia felicidad.

Esto le venía contando al Niño mientras caminábamos en medio de unos euforbios, un pasado que yo, había soñado en otro universo. Él se detuvo en otro camino que era asaz espinoso; me miró con curiosidad. Sus ojos eran como espejos que multiplicaban el sueño y mi perplejidad me llevó a interrogarle:

– ¿No sientes dolor en ese camino?

No respondió mi pregunta, su quietud me incomodó (tal vez sentí cierto temor), su silencio era exquisito y, sin esperarlo, de la nada abrió un portal. Nos hallábamos sentados adentro de un bar infrecuente llamado: *La Visión*. Sólo estábamos él y yo en aquel sitio del tiempo. La Visión, inexorablemente lo componía.

– ¿Dejaste de amar? – me preguntó el Niño vidente. Fue una pregunta que me tomó por sorpresa, a lo que respondí:

– No sé a qué te refieres, Niño.

– ¿Nunca has estado enamorado de alguien especial en ese universo? – me espetó.

– ¿De alguien? – le dije, haciéndome el desentendido y proseguí inútilmente –. Como... ¿Una mujer?

– Supongo que sí. Creo que es lógico que te enamores de una mujer. El apareo es un prodigioso ejercicio en los Dioses, pero, ellos dicen que el amor es un invento prosódico de ustedes; los mortales.

No he podido urdir una sola palabra para contestar a sus inefables vacilaciones, no conseguía descifrar cuál era la clave de ese instante; su arduo comentario me había desorientado hasta lo inextricable, mi silencio era atroz, mi lengua se había convertido en una roca perfectamente inmóvil. Bien sabía que no podía engañarme y hacer más inútil la cosa.

– No lo sé..., no sé qué he perdido – le dije dudosamente.

– Cuéntame, humano – exclamó cálidamente.

Tuve que recurrir al poder del recuerdo para satisfacer la curiosidad del Niño. Sentí que su mente ansiosa, lo amenazaba.

– Ella y yo – comencé a relatarle, mientras él en la quietud me miraba y me oía –. Nacimos en un pueblo que fueron aldeas un día y antes del anochecer un vacío se extravió dentro de mi conciencia mortal. Ella vivía en la calle Del Valle; tarareaba hermosas melodías mientras preparaba la cena y adornaba la mesa con flores silvestres y jazmines del lago. Yo solía leerle mis poesías que escribía bajo los detenidos árboles de un Ródano inexistente; no eran poesías de amor, pero ella siempre escuchaba enamorada. Por eso, no sé qué es lo que he perdido. Una noche, que no era como otras noches, cayeron unas estrellas y dejé de leer. Le grité en ese momento: ¡No me muestres los espejos! ¡No quiero ver mi rostro allí! ¡Déjame hostigar la acuarela!...

El rostro del Niño, petrificado hasta lo absurdo, dibujaba una tibia emoción. Yo, recordando el olvido, decidí declamarle uno de mis últimos poemas que le había regalado a ese: *"No sé qué he perdido"*.

Agonías: En el estío de un templo
corrían; seres embarrados mueren
en las rendijas deterioradas de un barco.
La abominación controla las almas tejidas
como un gentío de hormigas labradoras,
buscando esa tímida ilusión escarbando
bajo la sombría yerga de los montes.

Los truenos soñaron con los Dioses
anunciando a un peregrino sagrado,
el pueblo se ha precipitado y los rostros
que fallecieron son olvidados en el acero.

El instante grita, el silencio se amiga en
las superficies teñidas con sangre y ella,
no me ha vuelto a escuchar.

¡No me muestres los espejos!
¡No quiero ver mi rostro allí!
¡Déjame hostigar la acuarela!

Hubo un tiempo que estuve enamorado,
ya no; tal vez el dibujo dentro de mí
disipó su pintura en una mesa de llanto y
licor barato, purgando a cada muerto.

No saber lo que uno ha perdido es atormentar de algún modo el pasado y el olvido. El Niño no parecía inmutarse, entonces le dije:

– Ella se desdibujó un día. Me dijo con su callada voz: *No tengas miedo.* Cerré mis ojos, menos de un interminable segundo y, cuando los abrí, ella, desapareció; dejé de amar. Creo que fue eso, quizás una heráldica y no una realidad. No sé qué he perdido.

– Vaya, nada mal para ser un aprendiz de poeta – dijo él, con modesto asombro –. Sí que son criaturas interesantes los humanos. Nuestra madre estaría orgullosa de ti. Es una lástima que yo no pueda acompañar tu pena; tal vez deberías prescindir del amor.

– ¿Qué? – musité confundido.

El Niño palmeó mi hombro izquierdo y terminó secamente el diálogo, comenzó a caminar hacia una puerta y de espaldas a mí, me invitó a continuar con el viaje, pero una incertidumbre que combatía en mi pecho me llevó a decirle:

– Espera ¿Por qué este bar se llama La Visión?

Él, se detuvo y con una risa leve e irónica, respondió:

– Humano. ¿En dónde crees que estás viajando?...

XXXIX

El niño toma mi mano
llevándome al otro lado de mis párpados;
me sonríe, me señala las gentes alocadas
y las que huyen de los "*Señores de Azul*"
confundiéndose lentamente con dinero advenedizo.
El Caos se sube a un vestíbulo mezclando palabras
de libertad para luego manifestar diálogos corrompidos.
"*La pluma es más poderosa que la espada*",
escuché más de una vez…,
pero el papel ha incendiado al mundo y los mundos
detrás de otros mundos y con ellos sus dicciones
dejando herederos; ardiendo en llamas
los abstinente en un intervalo de paz perenne.

¿Quién se rebelará y será la otra cara de esa moneda?

En la suave corriente del boscaje
esperan los centinelas de las albas noctívagas,
urdiendo tragicomedias en los teatros
que se harán polvo de circunstancias frías
y el iceberg enmascarado,
será un barro en los cementerios del arte.

Realidad… En vano busco su verdad.

XL

Vago en sus orillas; hay una montaña de serpientes
que me desafían a cruzar los colmillos envenenados
de la locura
y largos esperpentos y yerras y séquitos
se aproximan hacia una ventana descoloridamente furtiva.
Las serpientes no me tocan, me dan paso al perfume
cóncavo de su atmósfera que perfecciona mi aliento
y olfateo el bisbiseo del sexo.
Allí está la silueta de una chica
que se transformó en fantasma y
en un pulcro espanto de amor
atrajo los ovoides varoniles.
La he espiado en su baño de río blanco,
como un perro que perdió a su hembra
y así la sentí feliz y la sentí triste también
que en cada copulación devoraba los gemidos
haciendo de los hombres
el torturado fracaso de sus eyaculaciones.
La chica es hermosa en cada órgano
y atributo conformándola como la especie femenina. Los
hombres que la penetraron le fueron exprimidos sus
átomos viriles eliminando sus fervorosos miembros.

¿Alguien se atrevería a fornicar a esa chica?
Yo, creo que sí. ¡El ignorante!

XLI

Benditos los mundos originarios y su alcurnia
venerando a los que atribuyen la locura y la felicidad.

Benditas las conchas y las pijas que multiplican
la especie humana, animal y vegetal.

Benditos los conocimientos y la razón de su propósito.

Benditos los que mueren y los que viven sin miedo
porque el miedo es el espejo del mismo hombre.

Benditos los niños de los andenes fumando porros
y que son marginados por condescendientes
de una escoria, una máscara, y una piltrafa de poder.

Benditas las primeras escenas cuando entramos
al sueño y que dentro de él, soñamos otro sueño.

Benditos los cuatro elementos y el quinto elemento
que no conocemos y antes fue conocido.

Bendita la incomprendida muerte y no el asesino.

Benditos los poetas mensajeros;
pequeñas partículas divinas de la fuente de Dios.

Bendito el Dios Universo que nos ha creado a
su semejanza y el humano le dio la semejanza
de nuestra cara.

Benditos los enamorados, los sexos, las copulaciones,
las bellas orgías, la lujuria, la excitación, el placer
y el último gemido de amor.

Benditos los pobres de alma y los ricos en pobreza
y que nunca conocerán la flama de sus orígenes.

Bendita la tristeza que nos lleva al dulce aprendizaje
de ser feliz; porque si no aprendemos a ser felices,
moriremos con la tristeza y junto a ella volveremos a nacer.

Benditos los valientes, los sabios, los ancianos,
los que tienen memoria llevando la imagen del patriarca,
los bienaventurados de corazón y espíritu
y del soberbio que hace alarde de su soberbia
bordeando la apología del escarnio y el ridículo.

Benditos los hermanos de todo el mundo del cosmos;
aunque estemos divididos por las fronteras, jamás
estaremos fraccionados ni dejaremos de ser hermanos.

Benditos los que tienen el hábito de la misericordia
y no el hábito y la desdicha del miserable.

Bendito el tiempo que no existe en los relojes modernos,
ni en los antiguos, ni en la clepsidra,
pero sí en la arena que es meramente infinita.

Bendita las ciudades, los pueblos, los barrios,
las familias viviendo en ellos
labrando con fervor la felicidad y su evolución.

Bendita la libertad y los libres
y los esclavos que hemos de liberar en nombre
de la justicia estando en manos de los justos;
porque los impíos no han de tenerla.

Bendita la sagrada justicia.

Bendito el plateado sol, la dorada luna
y las imperiosas estrellas que son testigos de mis ojos
aventurándose a su impredecible destino.

Benditos los libros, la primera Biblia
y que nada de eso he leído en mi vida, la educación
y los maleducados que en el hondo interior no lo son.

Bendita la gloria de la humanidad
y nuestra estirpe divina,
dichosa la gloria de las glorias alabando eternidad.

Benditos los maestros que leo haciendo de mí un
aprendiz de las letras y llevándome a escribir
este apócrifo en una tarde infernal con el whisky.

Bendita tú eres, vida; existencia humana entre
todas las humanidades de otros mundos
y benditos los atributos que nos has obsequiado para
deleitarnos de este inexorable misterio de vivir y
que a nuestra vista siempre será inescrutable.

XLII

¡Hasta la victoria siempre!
Exclamó la sinfonía. La victoria
durmió, y el asesino despertó
desde la matriz de la plebe.

A. V. d. L.

Fue asesinado por la muerte el corazón de la cruz.
¡La otra muerte es inocente!
Siempre la culpan, siempre está en escena;
se lavan las manos victimando homicidas.

¡Pilato provee en sus corazones sabiduría!
Esa vertiente está sucia; ese heraldo como tú
yace de su declive la tribulación
de los que mintieron a la moral del pueblo.

Y la otra muerte fue culpable, y el ataúd está cerrado,
y el muerto nunca durmió, y la mujer disparó a su mente,
y el pueblo sólo vio un sepulcro fallecido.

¡Y esa reina culpo a la otra muerte!
Y la muerte sonrió a Pilato,
y el céfiro de Buenos Aires borró sus huellas
hastiando adargas
que fueron testigos de un crimen Semirosado.

El corazón de la cruz fue asesinado por el amor,
y la muerte sonrió
como sonríen los condenados a ser libres esclavos
y esclavos libres e inmorales.

XLIII

El omnipotente que nos vio nacer
con un sesgo exacerbo
que junto a los ojos del cosmos nos da la vertiente
bebiendo la savia de sus manos prodigiosas
y tiñe la piel del Ser que los ve ascender
con tormento y travesía;
la dicha de los dichosos amigos
balbuceando proezas e infinitas munificencias.

La tierra está de cabeza y de pie hacia los cambios
que administraremos en un día vacío,
y antes le hemos dado la luz y las tinieblas
y los mares y los ríos y los lagos y los brazos del hombre
que de gritos se ha corrompido
en el último abandonado patio de Aker, *el horizonte*;
aquél que poco se alumbra de solsticios.

¿Dónde encontraré el grito de Dios? Niño.
¿Dónde puedo hallar su herbario ufano?
¡Humanos de gritos abandonados!
¡Seres del mundo levanten su espada hacia Él!
¡Bendícenos como reyes de nuestra pobreza!
¡Bendícenos que el hombre te ha corrompido!

Serás, el que siempre Serás…

Griten nuevamente a los laberintos del nacimiento y
una vez más hemos de estar gritando boca arriba,
reposando en lo ya pretérito
y el firmamento que nos dio el espejo eterno
en los amaneceres para nuestros ojos,
arden de regocijo cada vez
que abrimos los párpados despertando del aplomo
y la métrica del sueño aparcando vísceras de su tapiz.

XLIV

Se bifurca el sueño. Me he visto
en las gloriosas rendijas de la mente
y el alba no guarda ni la hoz ni la vigilia;
soy sólo un hombre, o soy todos ellos,
no soy los recuerdos de los viajes del existir.
Soy simplemente un Mortal.

En el propicio mármol que viste a los muertos
la luz y la migraña devoran su andanza,
el polvo se fusiona con sus carnes
haciéndose uno en los eucaliptos
donde es insaciable la inmortalidad del zorzal.

Un temporal lacera el oasis tangible
y el niño me está dejando,
ya no le corresponde acompañarme
en las grietas del lienzo que nos ha creado
y ahora somos olvido hasta en el propio ensueño.

Veo una salida… Estoy a punto de despertar.

XLV

Pero lo malo del sueño no es el sueño.
Lo malo es eso que llaman despertarse.

Julio Cortázar (1914-1984)

Letargo. Nada me favoreció al dormir, nada me ha cuidado. Desembarqué mis ojos en este mundo unánime que podría llamarse extraño pero todos lo llaman sueño. Todos, los que mueven la boca y construyen palabras y palabras con articulaciones circunspectas desde el herpes cándido de sus lenguas, las que mastican sus dientes agujereados. Me han dibujado como han dibujado el universo. ¿Quién ha hecho esta obra donde puedo caminar libremente?, las escenas que proyecto son inconcebibles, lentas e incomprensibles. ¿Quién será el Dios de estas pinturas?, de mi piel de acuarela; por qué yo puedo dibujar esos destinos, por qué estoy en esta colina de agua y no de piedra o de bosque, por qué la luna es de arena y se multiplica en magma, en bruma, y en astil el sol que borró su mácula. He visto mis dos estridentes manos ilustrar el lienzo con sílex los gritos de los espejos y el tiempo. Me paro con vigor en estos muérdagos, tú que estás a mi lado:

– ¿Quién eres Niño?

– Ya lo sabes. Te has conjeturado todo el viaje. ¿Por qué responder a tu pregunta? – me dijo.

– Tal vez, para terminar de confirmarlo.

– ¿Has olvidado que esto es un sueño? – me dijo el Niño, dándome la espalda y con afirmación melancólica en su voz –. Somos los que hemos dibujado este mundo, el invento de un Dios para nuestras ilusiones y la realidad opuesta del *"Yo"*, que duerme eternamente.

– ¿Somos? – indagué.

– Sí, somos – replicó.

– Quieres decir, que nada es real.

– Si nada es real. ¿Qué haces aquí?, siguiéndome desde que abriste tus ojos. Tu cuerpo duerme pero tu alma jamás descansa, es, etérea, sin tiempo; aunque te muevas estás…, detenido.

El Niño se elevó por sobre el abismo, como si fuera un ave y en el aire o en el hálito se mantuvo suspendido mirándome con medrosa sonrisa. Yo intenté hacer lo mismo para alcanzarlo pero mi cuerpo es más humano en Oniro que en la vida física; todo es contradictorio aquí. Todo lo que he visto en este viaje, lo que dibujó en el lienzo este Ser, me pareció muy vivo, todo…, tan falible, aun de piedra, que puede formarse de inmortalidad. Le pregunté al Niño:

– ¿Cómo puedes hacer eso?

– Porque Soy el que Soy – fue la respuesta.

– Quiero hacerlo – le dije con fervor.

– Aunque te creas un inmortal no podrás hacerlo, aun si te dibujo alas caerás al abismo. Eres humano en el sueño.

– ¡Dibújamela, Niño!

Poéticamente obedeció mi obstinación, me ha dibujado alas en mi espalda, sentí como una noble sensación de estupidez, seguía siendo un hombre en la luctuosa vigilia. Di un salto en el abismo y comencé a caer libremente gritando desesperado porque mis alas sólo eran una ilusión otorgadas por mi vanidad; tomó mi mano el Niño y yo, como un péndulo en la nada, y la orilla del piélago está lejos de las puntas de mis dedos, las nubes se contraían, el Niño sonreía balanceándome de un lado al otro del eje.

– Te lo dije, humano – reprochó irónicamente.

– Por qué tú sí, puedes hacerlo, esto es un sueño. Debería poderlo todo. Yo también dibujé este Lienzo.

– Porque yo no existo – adujo el niño que seguía pendiéndome desde su mano –. Soy tu inconsciente, soy tu lado oculto, soy el que habita en tu mente y susurra en tus oídos las palabras que debes escribir, soy el producto y el deseo de tus sueños, soy aquél que en algún porvenir ocupará tu lugar. Yo, soy tú, mi penoso humano.

El magma se hacía espeso y yo ufano en mi temor sabía que ese Niño o dios o ángel o cosa inmortal o mi yo oculto estaba por soltarme, miré vertiginosamente por debajo de mis pies y el vacío era un espejo infinito donde me he visto macilento sin la facultad de dibujar una poesía en ese instante.

– ¿A qué le temes? Mi yo de carne y alma – me preguntó el Niño con sus ojos gemelos e inertes.

– No me sueltes – le dije con voz apagada y casi suplicando.

– Tienes miedo de morir, o mejor dicho; de despertar.

– No me sueltes – le dije mirando ante su altura y elevando mi voz, y acongojado repetí mi súplica dos veces más.

– Sigue escribiendo. Dile a mi madre que la amo, que pronto estaré en sus senos: nuevamente. Completa los Gritos del Lienzo en tu orbe, criatura sin vuelo.

– ¡No me sueltes maldito seas, Niño! – grité desesperadamente con los ojos como lunas que estaban por colapsar y él, soltó mi mano, y yo…, caí sin dolor ante ese espejo. Mi última imagen fue su sonrisa.

– Adiós humano, duerme tranquilo. Sólo es un plazo infinito, mi yo de carne y alma – le oí decir a la distancia o mi mente lo oyó.

Desperté ofuscado, recuperé la vista y todo es diáfano hasta aquí. Hay un lienzo en mi habitación con las letras de los sueños en sus bordes moviéndose en toda su perennidad. Quería decirme algo así que las ordené. Las vocales son extrañas, sus consonantes radiantes: creo que el epíteto no es para mí pero pude traducir el mensaje: – *Los Ángeles no tienen alas* – dijo el Niño.

XLVI

Stay with me today,
live with me one day and one night
and I'll show you the origin of all poems.

Walt Whitman (1819 -1892)

En la plaza de la visión, me di cuenta que soy el poeta,
fuera de ello soy un simple mortal. Desperté en el 2014.

A. V. d. L.

La perfección me refleja (sin diáfana vanidad)
una aflicción de mi rostro sano
y un alma hermafrodita que disipa el viento,
nebular sus pequeños copos en mi admiración
junto a un vórtice parco e inexorable
consumiéndose en mis manos y en mis pasos.

Sentir el ruidoso silencio del llanto humano
de un niño que es Dios
y que no es vano adquirir
la omnisciente misión de transportar
válidamente el mensaje sagrado de su quimera.

Caminé por ese plano onírico que diseña el Lienzo
y me da a divisar su arte y su esencia – como la poesía –
más sabia que la filosofía, más pulcra que las cosas.

Yo soy ese Niño, hijo de La Mujer Escorpión,
mi antigua madre del cuarto siglo
y que me alimentó con su Antares
mostrándome la felicidad y la miseria,
las ruinas singulares y las devastaciones verbales
del comercio anacrónico de un nombre profético y,
no existirá, pero ha comenzado su gestación.

La poesía es infinita; ardua de prodigios vira
al negro espacio demorando su jornada
hacia el poniente, comulgando
y repugnando lo impío:
Es la pluma mi anatema
y la hierática preciosidad de su letra
me hacen de un apócrifo, un poeta.

XLVII

Soy feliz, mientras los religiosos esperan el fin
que dicta un libro y el arbitrio de sus páginas,
vivo el momento con alocada felicidad.
Aún examino mi cuerpo, contemplo cada célula
de mi carne humana y de mi espíritu
que algún espécimen me concedió, cuyo padre es mi padre
y cuya sangre vierte el rostro solar que perdió su órbita.

Mi alma es mi templo y soy feliz y libre de todo pecado,
no soy un esclavo de los ladrillos que inventan palacios,
no rezo porque nada malo he hecho,
siempre agradezco de estar vivo al Todo de todos; duermo
y viajo por los sueños, duermo y viajo sin recelo, sonrío
estrepitoso de felicidad.
Qué más valioso que existir aunque
sea sólo en nuestra realidad
o en un nutrido límpido de resurrección
que experimentamos al despertar tristemente.

¿Por qué perder el tiempo orando con palabras al
pie de una cruz incrustada en la pared mirando
cómo la vida pasa por tu lado izquierdo y no
darte la oportunidad de ser feliz,
por qué ser esclavo si hemos nacido libres
y desnudos con una infinita perfección
de nuestros átomos perdurables?

¿Por qué?
Si al respirar ya estamos orando a la vida
y basta con estar enteros para abrazarnos
como desorbitadas y alocadas criaturas excitadas
por vivir; saltando, danzando y gritando junto a Él.

Soy feliz, vivo cada instante como el último
y como un demente lleno de alegrías y tristezas,
como una flor silvestre
que se quebraja con el soplido del oriente.

¡Mira a tu alrededor! ¡Mírate a ti mismo!
¡Estamos vivos! Aun si nos transformamos en polvo,
que es una vehemencia de la creación.
No soy un ejemplo, sólo soy un portador de luz.
¡Sé feliz! ¡Libera tu mente!
No perderás nada. El Universo es sabio.

No es ser soberbio darte gracias a ti mismo,
no es ser egoísta darte una oportunidad,
la salvación es existir como existimos, la muerte
es una simple escala, una nueva existencia;
no hay un fin;
jamás lo hubo, jamás lo habrá, y jamás lo soñarás.

XLVIII

Grito a los gritos mi ventura y mi desventura
y también de mis aventuras y el azar,
a los gritos que aún no me ven,
los que no me han visto despertar
y he despertado en un atril dibujado por mi mente
al tupir mis ojos.

Grito al mundo los gritos de sus miedos, del
temor a existir o morir, porque tenemos
miedo al cambio ¡oh, tus ojos de sueño eterno!

¿Qué nos muestras hoy en tu laberinto?
¿Qué libertad escondes dentro de tu espada?

Grito a los cuatro puntos cardinales
y a los gritos de todos los continentes del planeta
y a cada especie viviente:
A cada hierba, a cada animal,
a cada niño, mujer y hombre;
a cada pedazo de tierra santa, a cada montaña;
a los gritos del mar, de los ríos y arroyos;
de cada Ángel que los protegen bajo sus cataratas de llantos.

A cada instante que tallan mis pies,
mis manos, mis codos, mis rodillas,
a los gritos de cada una de mis uñas
despegándose de mis dedos para no dormir,
a los gritos de mi garganta llamando al universo.

¡Grito! A los gritos del cosmos, de los orbes ocultos,
los gritos de las monumentales galaxias
que el ojo humano no conoce, pero sí,
conoce el cíclope de su alma
y los espectros físicos sin memoria. He viajado un día.

¡He visto los gritos de otros mundos!
¡He escuchado los gritos de otros mundos!
¡He tocado los gritos de otros mundos!
¡He degustado los gritos de otros mundos!
¡He respirado los gritos de otros mundos!

Somos la misma célula, la misma molécula divina,
somos el mismo gen,
somos el mismo punto del Universo,
somos parte de su esperma
derramado en perpetuas versiones periféricas,
somos parte de dos gritos todopoderoso
que se hizo uno, al eyacular de la vagina sideral.

Grito a los gritos de la progenie futura
que grita a los istmos y a los oradores de la Santa Sede,
grito a la carne y a la sangre del Hijo; al vino sin viñedo
bebido en la estrecha caverna americana, europea,
asiática, africana, australiana:
De un sexto continente,
cuatro ríos alinearon una arteria desierta.

Grito a los gritos del amor de todas las mujeres,
a los trémulos gemidos que otrora al placer,
a la desesperación de las bocas plasmadas al deseo, a
los gritos cuando te montas y danza tu pelvis en la
entrepierna de un macho, imitando el fastuoso apareo
de una alondra jadeando con un cuervo.

Grito a los gritos de mi madre
y a la madre de mi madre que también es mi madre,
a la Madre Tierra que vio a mi padre engendrarme
una primera vez en la corona que llamamos Cielo;
las nuevas, sagradas y eternas criaturas
que ahondan gritos de misericordia con una esquirla
amorosa, sentado en la cima de un escabel.

¡Pregonen sus gritos a lo infinito!
¡Ámense todos y perfectos!
¡Griten a los gritos que moran en su libertad!
¡Despierten los gritos de sus sueños!

A todos los seres les digo:
Somos Dioses viviendo
una mortalidad desventurada, somos causa y efecto,
razón y propósito de nuestra existencia.
Su etéreo anillo nos transporta,
su sensible Ojo nos lleva a un sopor
que los gritos se enriquecen de perfecciones
y sólo son visibles cuando atravesamos su volición.

¿Gritarán todos bajo la tempestad
los gritos de libertad en lo más ansiado de sus vigilias?

XLIX

Se abre el Ojo, declina el alba,
los viejos reptiles velan en el Esepo de Tróade;
en su orilla se inclinan
como se inclinan los de voluminosa joroba
y beben sus pecados pasivos
ante los ángeles que condenan su interés.

Absortos; laderas desiertas
que liberan una cuidad democrática
de un salto abstracto y de almas impávidas.

Rápidamente lento el universo
agacha su mentón vociferando
melancolías sobre la urbe codiciosa
de la conciencia humana. ¡Misericordia!

Tú Niño, que llevo en mi estirpe
me has dado un giro pacífico,
he logrado despertar de mi muerte
y absorber la onírica elegía de los arquetipos.

L

Gritos, El Lienzo de los Sueños
es la simétrica maestría
que eternizó el niño de mi espíritu;
la alquimia secreta develada en pequeñas
partículas de Dios; el misterioso Ser,
que anida en nuestro pecho
y nos legó un cuerpo momentáneo, obsoleto.
Desperté de la vigilia, insomne y ensimismado;
me encontré con un desierto de triviales lontananzas
trayendo conmigo las revelaciones de los astros
y la visión del porvenir
que anulan mis ojos compensándome con lagañas,
pero de una zancada divina escribí en un solo epíteto
los gritos del pródigo sueño y su álgebra.

El Universo es el Lienzo y el Dios, el Niño que lo ilustró.

LI

Nada termina, nada llama a un fin, las cosas cambian
y vuelven a nacer y el universo en un breve pestañeo,
nos hace eterno en un salto de amor.
Con el despertar del "YO" en la visión 2015.

A. V. d. L.

Exploramos por minuciosos laberintos
los catálogos de nuestra percepción,
nos agrupamos en un número infinito de temores
prolongados por nuestra propia mente
perdiéndonos en un "*Yo*" interior;
y el celaje inconsciente nos enjaula
como un pájaro que cometió el bello crimen de vivir
bajo las influencias de la libertad.
El Amor es nuestra vertiente;
la chica que compone los días de nuestra juventud,
también, nuestra enamorada mujer
cuya madurez nos da los pasos a la inmortalidad
y la anciana que nos abre la puerta
a un perenne descanso de estiércol, recuerdo y olvido:
En un jardín ermitaño están los poemas pulcros
labrados en los mármoles y en los epitafios.
Catálogo de los astros; descripciones del cosmos,
un nítido círculo en la puerta de la bondad;
todos pueden llegar, todos pueden abrirla
y danzar vagando sobre épicas de fluidez absoluta.

Tomen mi mano y vengan conmigo:
Monten mi lomo
y viajemos por las orillas de este destino,
escribamos con Él, los poemas que nuestras almas
declaman en los sueños.
¡Monten mi lomo! ¡Beban mi esencia!
Tomen mi mano, tomen mi alma;
seguiremos viajando por este Lienzo sin vanidad
ni palabras. Palabras de última página,
última página llena de últimas palabras
y en un primer párrafo vive un cementerio de palabras,
palabras distorsionadas, cuajadas, estranguladas, curvadas,
prisioneras. Palabras de lenguas mudas, visibles e invisibles,
creadas, inventadas, paridas, vomitadas y muertas.
Palabras: palabras tejidas para odiar o amar,
palabras de guerras o de paz o la paz eyacula palabras
y la guerra destruye palabras elaboradas;
un beso de tu boca sabe a palabra, palabra abstracta.
Soy palabra de tiempos y eras y esperanzas y sueños,
soy niño, soy hombre, soy inmortal y soy muerto,
soy cordero, poeta, filósofo, profeta, apócrifo,
soy el Ser y el nuevo Universo;
Soy el que Soy, un Ojo Infinito… Soy todos y soy vida.
Soy… El Ausente…
No teman:
No me teman, los abrazaré en mis senos,
monten mi lomo, tomen mi alma sin miedo, yo estoy aquí,
y estaré en ustedes, como un sabio inventor de sueños.
Creo que eso diría Dios o Asherah (su esposa).

Últimas palabras...

Fuera…

ÍNDICE

Este libro se terminó de imprimir
en La Plata en el mes de julio de
2015

Made in the USA
San Bernardino, CA
16 April 2016